はじめに

現在、食物アレルギーをもつ人が増えています。原因ははっきりとは断定できませんが、人々の食生活の変化や環境の変化が影響しているといわれています。

こうしたなか、アレルギー表示というものは、食物アレルギーをもつ消費者の食品による健康被害防止においてとても重要な意味をもちます。アレルギーをもつ消費者が安心して食品を選択できるようにするために、みなさんはアレルギー表示について正しい知識をもち、正確な表示を行っていく必要があります。

本書では、包装された加工食品、または飲食店等でのアレルギー表示の方法や解説を掲載しております。みなさんにとって、本書がアレルギー表示の正しい知識を身につける手助けになれば幸いです。

1 食物アレルギーとは

即時型食物アレルギー症状を呈した原因食物

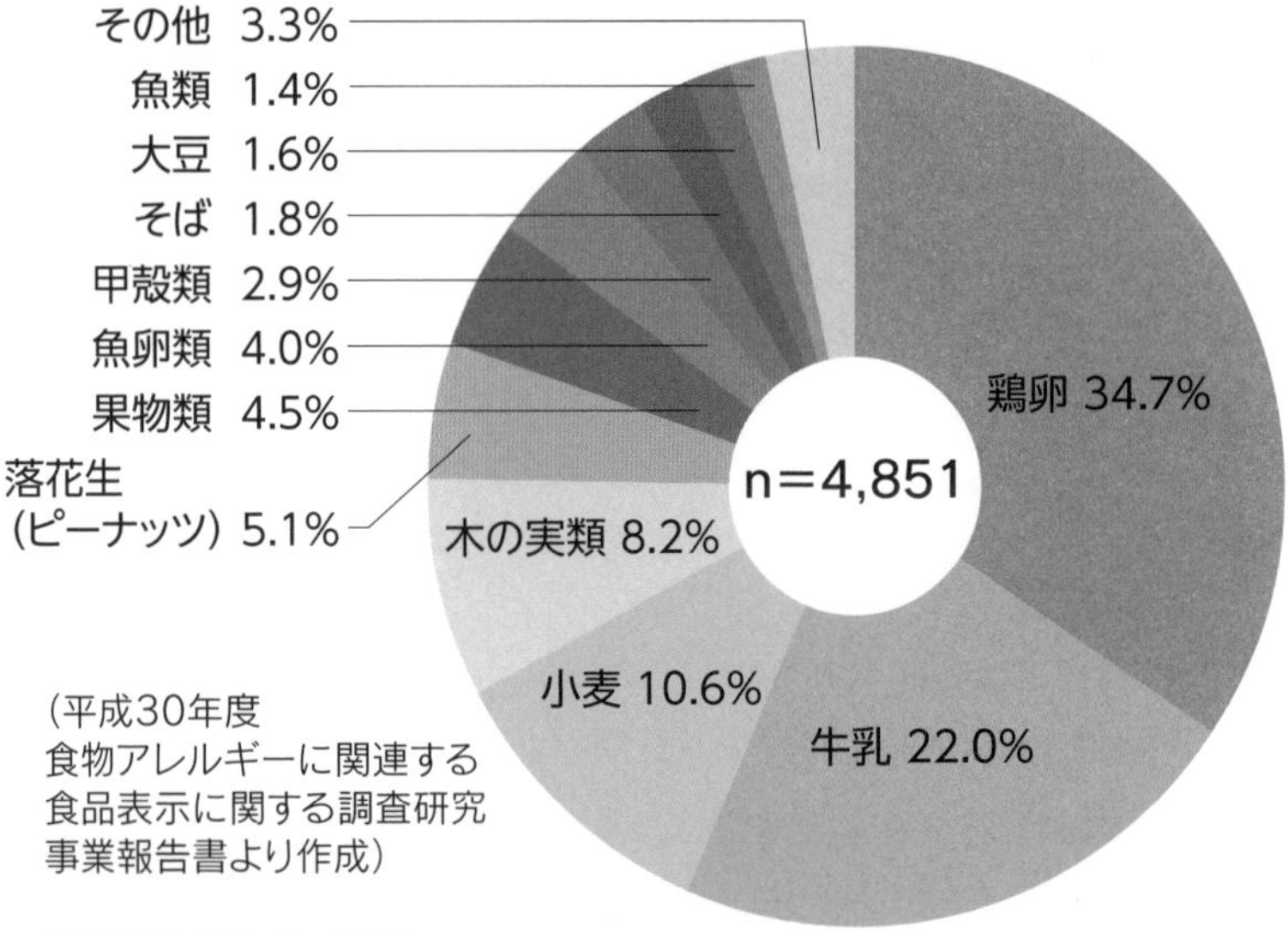

（平成30年度
食物アレルギーに関連する
食品表示に関する調査研究
事業報告書より作成）

【内訳（症例の多い順）】

木の実類（くるみ、カシューナッツ、アーモンドなど）
果 物 類（キウイフルーツ、バナナ、もも、りんご、さくらんぼなど）
魚 卵 類（いくら、たらこ）
甲 殻 類（えび、かに）
魚　　類（さけ、さば、ぶり、まぐろ、あじ、ししゃも）

食物アレルギーとは、食物を摂取した際、身体が食物に含まれるたんぱく質等のアレルゲン（アレルギー物質）を異物として認識し、自分の身体を防御するために過敏な反応を起こすことです。食物アレルギーは、人によってその原因となるアレルギー物質とその反応を引き起こす量が異なります。また、体調によって、その反応も変わります。

2 アレルギー物質の表示制度

アレルギー物質の表示制度は、一般消費者すべてに対して情報を提供するものではなく、食物アレルギー患者の健康被害防止を目的としています。このため、食物アレルギー患者の発生状況、症状が重篤であるかどうか等の実態を把握し、必要に応じた制度改正を行っていくことが重要であり、今後も定期的な見直しがされます。

主な食物アレルギーの症状

軽い症状

かゆみ、じんましん、唇や瞼《まぶた》の腫れ、嘔吐、喘鳴《ぜんめい》

重篤な症状

意識障害、血圧低下、呼吸困難などのアナフィラキシーショック

1 食品表示制度

これまで食品表示は「食品衛生法」、「農林物資の規格化等に関する法律（JAS法）」、「健康増進法」の3法から成り立っていました。しかし、これらの規定を一元化して、消費者にもっとわかりやすく食品の情報を伝えることを目標に、平成27（2015）年4月に食品表示法が施行されました。それに伴い、同日に食品表示基準が施行され、前記3法に定められていた58本の表示基準が統合され、表示の具体的なルールが定められました。

新しく定められたルールの1つに、アレルギー表示に係るルールの改善があります。具体的な内容は、下記のとおりです。

新しいアレルギー表示制度

① 個別表示を原則とし、例外的に一括表示も可能にする（P.11参照）

② 一括表示する場合、一括表示欄にすべて表示する（P.11参照）

③ 特定加工食品およびその拡大表記を廃止（P.12参照）

また、これらの具体的な表示方法については「3　食物アレルギー表示方法」に解説しています。

2 特定原材料等について

過去に一定の頻度で血圧低下、呼吸困難または意識障害等の重篤な健康被害が見られた症例から、その際に食した食品の中で明らかに特定された原材料7品目を、アレルゲンを含む「特定原材料」として表示を義務づけることが府令で定められています。

また、可能な限り表示することが推奨された21品目を「特定原材料に準ずるもの」として通知で定めており、これらの品目については、今後も定期的にアレルギー実態調査等を実施し見直しが行われていきます。

表●特定原材料等

特定原材料等の名称		理由	表示の義務
府令	えび、かに、小麦、そば、卵、乳、落花生（ピーナッツ）	特に発症数、重篤度から勘案して表示する必要性の高いもの。	表示義務
通知	アーモンド、あわび、いか、いくら、オレンジ、カシューナッツ、キウイフルーツ、牛肉、くるみ、ごま、さけ、さば、大豆、鶏肉、バナナ、豚肉、まつたけ、もも、やまいも、りんご、ゼラチン	症例数や重篤な症状を呈する者の数が継続して相当数みられるが、特定原材料に比べると少ないもの。 特定原材料とするか否かについては、今後、引き続き調査を行うことが必要。	表示を奨励（任意表示）

特定原材料等の範囲

❶ えびの範囲

【対象】 日本標準商品分類における分類番号7133のえび類(いせえび・ざりがに類を除く)および7134いせえび・うちわえび・ざりがに類であり、具体的には、くるまえび類(くるまえび、たいしょうえび等)、しばえび類、さくらえび類、てながえび類、小えび類(ほっかいえび、てっぽうえび、ほっこくあかえび等)、その他のえび類ならびにいせえび類、うちわえび類、ざりがに類(ロブスター等)。
【対象外】 しゃこ類、あみ類、おきあみ類等は、その他の甲殻類に分類される。

❷ かにの範囲

日本標準商品分類におけるかに類であり、具体的には、いばらがに類(たらばがに、はなさきがに、あぶらがに)、くもがに類(ずわいがに、たかあしがに)、わたりがに類(がざみ、いしがに、ひらつめがに等)、くりがに類(けがに、くりがに)、その他のかに類が表示の対象となる。

❸ 小麦の範囲

【対象】 すべての小麦(普通小麦、準強力小麦、強力小麦、デュラム小麦等)。
小麦粉(強力小麦粉、準強力小麦粉、薄力小麦粉、デュラムセモリナ、特殊小麦粉等)。
【対象外】 大麦、ライ麦等。

❹ そばの範囲

麺のそばのみではなく、そば粉も含めるため、そば粉を用いて製造される、そばボーロ、そば饅頭、そばもち等も表示の対象となる。

「そば」は、調味料に含まれる場合もあるので、原材料となる加工品についても細かく確認し、正確な表示をする必要がある。

❺ 卵の範囲

鶏卵のみでなく、あひるやうずらの卵等、一般的に使用される食用鳥卵についても対象となる。しかし、ほかの生物の卵(魚卵、は虫類卵、昆虫卵等)は範囲に含まれない。また、全卵のみではなく、卵黄と卵白に分離していたとしても、卵を含む旨の表示が必要。さらに、生卵を使用している場合はもちろんのこと、液卵、粉末卵、凍結卵等を用いた場合も「卵」を含む旨の表示漏れがないよう注意すること。なお、「卵白」、「卵黄」を除き、「卵」の文字が含まれている原材料名が表示されている場合は、代替表記の拡大表記となるため、卵を含む旨の表示を省略することは可能である(P.14参照)。

❻ 乳の範囲

特定原材料のうち、「乳」に関しては牛の乳より調整、製造された食品すべてに関して表示が必要となる。牛以外の乳(山羊乳、めん羊乳等)は表示の対象外とする。「乳」に関しては、「乳及び乳製品の成分規格等に関する省令」(以下、乳等省令)に定義されている乳(生乳、牛乳等)や乳製品(バター、チーズ等)に当てはまらないものは乳を主原料としていても、個々の品名で表示できない。よって、これらの食品については、「乳又は乳製品を主原料とする食品」と分類されている。したがって、乳、乳製品、乳又は乳製品を主原料とする食品、その他乳等を(微量であっても)原料として用いられている食品を対象としている(P.15参照)。

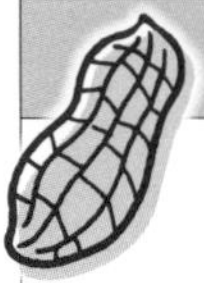

❼ 落花生の範囲

「落花生」は、いわゆるピーナッツ、なんきんまめとも呼ばれるものである。多くの料理や菓子類に使用されるが、ピーナッツオイル、ピーナッツバター等もアレルゲンとなるので注意が必要。一般に脂肪が多い小粒種は採油用、たんぱく質が多い大粒種は食用にされることが多いようだが、両方とも表示の対象となる。

❽ アーモンドの範囲

「アーモンド」は主に食用にされるスイート種だけでなく、ビター種も対象となる。また、アーモンドオイル、アーモンドミルク等もアレルゲンとなるので注意が必要。

❾ あわびの範囲

【対象】「あわび」のみを対象とする。なお、ここでいう「あわび」とは、日本標準商品分類における「あわび」をいい、国産品、輸入品にかかわらず「あわび」として流通しているものすべてを含む。

【対象外】「とこぶし」については、抗原性の交差反応性が確認されていないため、現在は対象外となっているが、今後さらなる研究により、交差反応の範囲等を調べていく必要がある。

❿ いかの範囲

すべてのいか類が対象。具体的には、ほたるいか類、するめいか類、やりいか類、こういか類、その他のいか類(みみいか、ひめいか、つめいか等)。

⓫ いくらの範囲

「いくら」とは、さけ、ます類の卵巣の卵巣膜を取り除き分離した卵粒を塩蔵したものをいう。「すじこ」は卵巣膜のまま塩蔵したものをいう。よって、特定原材料に準ずるものの範囲としては、「いくら」と「すじこ」は同じものと考え、表示の対象となる。

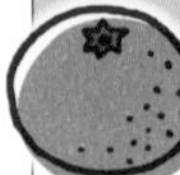

⓬ オレンジの範囲

対象】ネーブルオレンジ、バレンシアオレンジ等、いわゆるオレンジ類。

【対象外】うんしゅうみかん、夏みかん、はっさく、グレープフルーツ、レモン等。

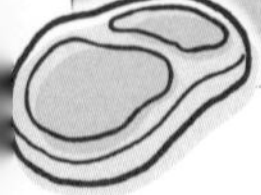

⓭ 牛肉、豚肉、鶏肉の範囲

【対象】肉類については、肉そのものはもちろん表示の必要があるが、日本標準商品分類において肉とは別に分類されている内臓については、特に耳、鼻、皮等、真皮層を含む場合は表示が必要。また、動物脂(ラード、ヘッド)も表示が必要である。

【対象外】上記以外の内臓(ケーシング材を含む)、皮(真皮を含まないものに限る)、骨(肉がついていないものに限る)。

⑭ ごまの範囲

【対象】 ゴマ科ゴマ属に属するものであり、種皮の色の違いにより「白ごま」、「黒ごま」、「金ごま」に分けられるが、これらは表示の対象である。また、ごま油、練りごま、すりゴマ、切り胡麻、ゴマペースト等の加工品も対象である。
【対象外】 トウダイグサ科トウゴマ属に属する「トウゴマ(唐胡麻)」やシソ科シソ属に属する「エゴマ(荏胡麻)」など。

⑮ さけの範囲

【対象】 サケ科のサケ属、サルモ属に属するもの。具体的にはさく河性のさけ・ます類で、しろざけ、べにざけ、ぎんざけ、ますのすけ、さくらます、からふとます等。「さけ」とは、サケ科に属するしろざけ、べにざけ、ぎんざけ、ますのすけ等の総称。陸封性のにじます、ひめます等は一般にマスといわれるが、学問上ではマス類という分類はなく、明確な区分もないのですべてサケ類とされる。
【対象外】 にじます、いわな、やまめ等、陸封性のもの。

⑯ 大豆の範囲

アレルギー表示における「大豆」の範囲は、えだまめや大豆もやし等未成熟のものや、発芽しているものも含む。みそ、しょうゆ、納豆、豆腐には黄色系統が用いられ、きな粉や菓子用に緑色系統(青豆、菓子大豆と呼ばれる)、料理用に黒色系統(黒豆)の品種が用いられ、これらすべてが対象となる。

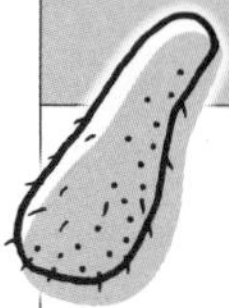

⑰ やまいもの範囲

「やまいも」は日本標準商品分類でいう「やまのいも」をいう。「やまのいも」とはジネンジョ、ながいも、つくねいも、いちょういも、やまといも等を対象とする。一般的に知られている「とろろ」はやまのいもをすりおろしたもので、これを使った料理に「山かけ」、「とろろ汁」等がある。

⑱ ゼラチンの範囲

日本標準商品分類上、明確な分類項目はないが、「ゼラチン」の名称で流通している製品を原材料として用いている場合はアレルギー表示の対象となる。

なお、「ゼラチンを含む」と表示するものは、「ゼラチン」の名称で流通している製品を原材料として用いている場合であり、「豚肉」や「牛肉」を原材料として製造し、製造過程において「ゼラチン」が抽出される場合は、「豚肉を含む」、「豚を含む」、「牛肉を含む」、「牛を含む」等と表示する。

3 食物アレルギー表示方法

アレルギー表示は、特定原材料等が原材料として含まれる旨、または食品に含まれる添加物に由来する旨を、原則、原材料名の直後に括弧をつけて表示してください。

① 原材料の場合→すべて「(~を含む)」
② 添加物の場合→原則、「(~由来)」

ただし、例えば、同じ添加物Aであるが特定原材料等由来の添加物A-①と特定原材料等由来でない添加物A-②を併用して食品を製造する場合、表示としてはまとめて添加物Aとして表示することになりますが、A-①の使用割合が微少の場合、その添加物が「~由来」するという表現がなじまないため、このような場合に限っては、添加物であっても「~を含む」と表示することも可能としています。

1 原則は個別表示

それぞれの原材料や添加物の直後に括弧をつけて特定原材料等を含む旨を表示するのが個別表示です。現在の表示制度では、原則として個別表示をすることが定められています。これは、食物アレルギー患者が食品を選択する際に確実な情報が得られるようにするためです。

【個別表示の例】

アレルギー表示は下線部（**実際の商品には下線はありません。**）

原材料名	準チョコレート（パーム油（大豆を含む）、砂糖、全粉乳、ココアパウダー、乳糖、カカオマス、食塩）、小麦粉、ショートニング（牛肉を含む）、砂糖、卵、コーンシロップ、乳又は乳製品を主要原料とする食品、ぶどう糖、麦芽糖、加工油脂、カラメルシロップ、食塩
添加物	ソルビトール、酒精、乳化剤（大豆由来）、膨張剤、香料（乳・大豆由来）

2 一括表示をする場合

表示面積が狭いなど、個別表示が困難である場合等は、一括表示が認められています。一括表示をする場合は、原材料欄の最後に「（一部に○○を含む）」と表示することとします。また、原材料と添加物を事項欄を設けて区分している場合は、それぞれ原材料欄の最後と添加物欄の最後に表示します。ただし、個別表示と一括表示を併用することはできません。

【一括表示の例】

アレルギー表示は下線部（**実際の商品には下線はありません。**）

原材料名	準チョコレート（パーム油、砂糖、全粉乳、ココアパウダー、乳糖、カカオマス、食塩）、小麦粉、ショートニング、砂糖、卵、コーンシロップ、乳又は乳製品を主要原料とする食品、ぶどう糖、麦芽糖、加工油脂、カラメルシロップ、食塩、（一部に大豆・乳成分・小麦・牛肉・卵を含む）
添加物	ソルビトール、酒精、乳化剤、膨張剤、香料、（一部に大豆・乳成分を含む）

3 特定加工食品制度の廃止

旧制度は、マヨネーズなどの特定加工食品およびその拡大表記（例：「からしマヨネーズ」、「クリームパン」など）はアレルギー表示を省略することができました。しかし、例えばマヨネーズに卵が入っていることを知らない等の理由で、消費者に誤認が生じる可能性があることから、特定加工食品制度は廃止となりました。

？特定加工食品とは

表記に特定原材料名または代替表記（P・13参照）を含まないが、一般的に特定原材料等を含むことが予測できると考えられてきたものをいいます。**新制度では、特定加工食品にもアレルギー表示をしなければなりません。**

- **卵の特定加工食品→マヨネーズ**
- **小麦の特定加工食品→パン**

4 代替表記と拡大表記

限られた表示スペースに特定原材料等に関する表示を行うことは限界があるため、代替表記およびその拡大表記による表記を用いることができます。

A 代替表記

特定原材料等と表記方法や言葉が違うが、特定原材料等と同じものであることが理解できる表記

(例：卵を「エッグ」と表記)

B 拡大表記

特定原材料等の名称、またはAに掲げる代替表記を含むことにより、特定原材料等を使った食品であることが理解できる表記

(例：「大豆油」、「鮭フレーク」など)

卵と乳の代替表記について

卵

食品衛生法に基づく旧表示基準では、「卵白」、「卵黄」については、特定原材料である「卵」の文字が含まれていることから、卵の代替表記の拡大表記として取り扱われていました。しかし、

- それぞれ産業的完全分離は困難なこと（割卵機で分割した卵黄、または卵白には必ず卵白、または卵黄が混入する等）
- 食物アレルギー患者が、まちがった判断で誤って選択してしまう可能性が否定できないこと
- 同一食品に「卵黄」と「卵白」が別々に使用され、どちらかの表記を省略してしまった場合、消費者に誤認させることがあること

から、「卵白」または「卵黄」を代替表記の拡大表記の対象から除外し、「卵を含む」旨を表示することとなりました。

乳

食品衛生法に基づく旧表示基準では、「乳」は、乳以外の食品と異なる内閣府令で表示基準が定められていたため、乳以外の特定原材料等と代替表記等方法リストの区分が一部異なっていたことから、次の見直しが行われました。

① 「種類別」欄を廃止
② 「代替表記」を追加
③ ①および②に伴い、「代替表記の拡大表記」の区分を修正
④ 「特定加工食品」を廃止

このことに伴い、「特定加工食品」に整理されていた「ミルク」については、「乳」を単に英語読みしたものであるため「代替表記」とされました。

また、「乳」の言葉を含まない「バター」、「チーズ」などについては、乳等省令に定義があり、乳以外から製造されることがないことから、代替表記とすることとされました。

ただし、「乳」の言葉を含まない表示や、「ココナッツミルク」等の乳を含まない紛らわしい名称の食品もあり、食物アレルギー患者等が誤認することも考えられることから、可能な限り「乳成分を含む」旨を表示することが望まれます。

5 くり返しになるアレルギー表示を省略する場合

くり返しになるアレルギー表示の省略については、事業者に個別表示を促すための仕組みであることを踏まえ、特定原材料等を原材料とする加工食品および特定原材料に由来する添加物を含む食品に対し、２種類以上の原材料または添加物を使用し、それらに同一の特定原材料等が含まれているものは、そのうちのいずれかに特定原材料等を含む旨または由来する旨を表示すれば、それ以外の原材料または添加物について、表示を省略することができます。

なお、原材料と添加物の事項欄を分けた場合であっても、同様に省略が可能です。

[表示例]

省略しない場合

原材料名	○○○○(△△△△、ごま油)、ゴマ、□□、×××、醤油(大豆・小麦を含む)、マヨネーズ(大豆 ・卵・ 小麦 を含む)、たん白加水分解物(大豆を含む)、卵黄(卵を含む)、食塩、◇◇◇、酵母エキス(小麦を含む)
添加物	調味料(アミノ酸等)、増粘剤(キサンタンガム)、甘味料(ステビア)、◎◎◎◎(大豆由来)

省略する場合

原材料名	○○○○(△△△△、ごま油)、ゴマ、□□、×××、醤油(大豆・小麦を含む)、マヨネーズ(卵を含む)、たん白加水分解物、卵黄、食塩、◇◇◇、酵母エキス
添加物	調味料(アミノ酸等)、増粘剤(キサンタンガム)、甘味料(ステビア)、◎◎◎◎

- 醤油に「大豆・小麦を含む」と表示することで、マヨネーズの「大豆・小麦を含む」、たん白加水分解物、◎◎◎◎の「大豆を含む」および「大豆由来」、酵母エキスの「小麦を含む」を省略
- マヨネーズに「卵を含む」と表示することで、同様に卵を含む、卵黄の「卵を含む」を省略

6 コンタミネーションについて

コンタミネーションとは、本来原材料として特定原材料等を使用していないにもかかわらず、食品の製造中に意図せずそれらが混入してしまうことをいいます。食物アレルギーは微量のアレルゲンでも発症するので注意が必要です。

製造時のコンタミネーション防止対策

コンタミネーション防止対策として、製造ライン（機械、器具等）、食品を取り扱う作業台などは洗浄を徹底しましょう。また、特定原材料等を含む食品と含まない食品の両方の製造に同じ製造ライン等を用いるときは、十分洗浄したうえで、特定原材料等を含まないものから製造することが防止対策として考えられます。また、可能な限りアレルゲン取扱い専用エリアやラインを設け、専用の器具、清掃用具等を使用することも有効です。

原材料の混獲、魚がえび・かになどを補食している、加工方法により混入する場合の表示

えび、かにが最終製品に必ず混入するということであれば、最終製品ではえび、かにが原材料の一部を構成していると考えられますので表示が必要です。

しかし、混入する可能性が完全に否定できない場合であっても、えび、かにが原材料の一部を構成していないと判断される場合には、表示の義務はありません。

なお、魚肉すり身など、原材料中の意図しないえび、かにの混入頻度と混入量が低いものについては、患者の食品選択の幅を過度に狭めてしまう結果になることから注意喚起表示の必要はないものと考えています。

コンタミネーションの注意喚起方法

コンタミネーションしてしまう場合には、原材料表示欄外にその旨を次のように注意喚起をすることが望ましいです。

注意喚起例

同一製造ライン使用によるコンタミネーション

- 「本品製造工場では○○（特定原材料等の名称）を含む製品を生産しています。」
- 「○○（特定原材料等の名称）を使用した設備で製造しています。」等

原材料の採取方法によるコンタミネーション

- 「本製品で使用しているしらすは、かに（特定原材料等の名称）が混ざる漁法で採取しています。」

えび、かにを捕食していることによるコンタミネーション

- 「本製品（かまぼこ）で使用しているイトヨリダイは、えび（特定原材料等の名称）を食べています。」

7 特定原材料等を使用していない食品の場合

ある特定原材料またはそれに準ずるものを使用しているだろうと消費者が一般に認識する食品を、その該当する特定原材料等を使用せずに製造等した場合であって、それが製造記録などにより適切に確認された場合には、該当する特定原材料等を使用していない旨の表示を一括表示枠外に表示することが望ましいです。

この表示によって、アレルギーをもつ消費者は、摂取可能な食品であることを容易に判断でき、食品選択の幅も広がります。

例
フルーツミックスジュースに特定原材料に準ずるものの「りんご」が使用されていない場合

8 禁止されている表示

× 可能性表示

「入っているかもしれません。」といった表示は認められません。こうした安易な表示を認めると、食物アレルギー患者にとって症状の出ない食品についてもアレルギー表示が行われ、かえって患者の選択の幅を狭めてしまうおそれがあります。

× 複合化した表示

下記のように特定原材料等を複合化した表示方法は認められていません。

正しい表示	禁止される複合化表示
「穀類（小麦、大豆）」または「小麦、大豆」	「穀類」
「牛肉、豚肉、鶏肉」	「肉類」、「動物性○○」
「りんご、キウイフルーツ、もも」	「果物類」、「果汁」

注）これは特定原材料等を含まない「穀類」等の表示まで禁止するものではありません

例外規定表示

製造工程上の理由などから次の食品に限って表記のように表示することができます。

例外規定表示	理　由
「たん白加水分解物（魚介類）」 「魚醤（魚介類）」 「魚醤パウダー（魚介類）」 「魚肉すり身（魚介類）」 「魚油（魚介類）」 「魚介エキス（魚介類）」	網で無分別に捕獲したものをそのまま原材料として用いるため、どの種類の魚介類が入っているか把握できないため。

アレルギー表示が適切にされていない場合

アレルギー表示が適切にされていない場合、消費者の生命または身体への危害防止を図るために緊急を要すると認めるときは、食品関連事業者等に対し、内閣総理大臣は食品の回収や業務の停止等を命ずることができるとされています（食品表示法第6条第8項）。

この命令に従わない者は、3年以下の懲役もしくは300万円以下の罰金、またはこれを併科され、法人の場合は、前述の行為者を罰するほか、3億円以下の罰金に処せられます。

また、食品を摂取する際の安全性に重要な影響を及ぼす表示事項について食品表示基準に従った表示がされていない食品の販売をした者は、命令・公表を待たず、2年以下の懲役もしくは200万円以下の罰金、またはこれを併科され、法人の場合は、前述の行為者を罰するほか、1億円以下の罰金に処せられます。

4 飲食店等の食物アレルギー表示

1 飲食店等での食物アレルギー表示の現状

容器包装された加工食品には、アレルギー表示が義務づけられていますが、飲食店等（外食・中食）については表示が義務づけられていません。それには、次のような理由があるためです。

- 提供される商品の種類が多岐にわたり、その原材料が頻繁に変わる。
- 営業形態が対面販売であり、注文等の際、消費者が店員にメニューの内容等の確認や、使用する原材料、調理方法の調整が可能である。
- さまざまなメニューを手早く調理することが求められ、調理器具等からのアレルゲンの予期せぬ混入防止策を十分にとることが難しい。

一方、現在の人々は外食等を行う頻度も増え、社会的にもアレルゲン情報の提供が望まれています。しかし、小規模な店舗や個人店では、情報公開が進んでいないのが実態です。

2 食物アレルギー表示等の取組み

ここでは、飲食店等でできる食物アレルギー表示等の取組み事例をいくつか紹介します。

① 食物アレルギー情報の公開

お店のホームページなどがある場合、そこから特定原材料等の情報を公開する取組みがあります。例えば、レストランの場合、メニューのアレルギー物質使用一覧表などを掲載すると、アレルギーをもつ消費者は、お店を訪れる前に情報を得ることができます。

❷ 正確な情報管理

チェーン店等では、食材を仕入れる場合、アレルゲンなどの情報が記載されている商品規格書を取引先より入手し、事前に情報を確認しているところもあります。商品規格書をデータベース化すると、よりスムーズに情報管理を行うことができます。

❸ アレルギー対応メニューを提供

レストラン等で、あるメニューの食材に特定原材料7品目を使用しないなど、低アレルゲンのメニューを用意すると、アレルギーをもつ消費者にとって利用しやすくなります。

このようなメニューを提供する場合、アレルゲンを含む通常のメニューと間違えないよう、お皿の色を変えたり、お子さまランチの場合は旗の数を2本にするなどの目印があると、取りまちがいを防ぐことができます。

ただし、アレルギー対応メニューを調理する調理器具等が通常のメニューと同じものを使用しているなどのコンタミネーションが発生する場合、メニューブック等に注意喚起を掲載することが望ましいでしょう。

❹ 従業員教育

店舗にて、消費者からアレルギーに関するお問い合わせがあったとき、また、店舗に訪れたお客さまのなかで、万が一アレルギー症状が起こってしまった場合、従業員に必要なのはアレルギーに関する正しい知識と、すみやかで正確な対応です。そのためには従業員教育のなかに、アレルギー教育を導入することがたいせつです。アレルギーに関する基礎知識だけでなく、食物アレルギーのリスクの大きさや、アレルギー症状が起こってしまったときの対応方法等も教育カリキュラムに含め、定期的に指導していくことが重要です。

5 消費者の安全のために

食品関連事業者のみなさんは、表示のみですべてのアレルゲンに関する情報が伝達されることは困難であることを常に想定しつつ、アレルギー表示を必要とする特定原材料等、さらには、これら以外の原材料についても、電話等による問合せへの対応やインターネット等による正確な情報提供などを行うことができる体制を整えることが求められています。

アレルギー疾患は、ときには命に関わる大事に至る場合もあります。アレルギーをもつ消費者も含めたすべての人々にとって安全な食品を提供できるように努めていくことがたいせつです。

参考資料

- Q&A 別添アレルゲンを含む食品に関する表示
  https://www.caa.go.jp/policies/policy/food_labeling/food_labeling_act/pdf/food_labeling_act_190919_0010.pdf
- 別添 アレルゲンを含む食品に関する表示
  https://www.caa.go.jp/policies/policy/food_labeling/food_labeling_act/pdf/food_labeling_act_190919_0002.pdf
- 新しい食品表示制度<リーフレット>
  https://www.caa.go.jp/policies/policy/food_labeling/food_labeling_act/pdf/150331_reaf-newhyouji.pdf
- 消費者庁の食品表示に関するホームページ
  https://www.caa.go.jp/policies/policy/food_labeling/

アレルギー表示についての問い合わせ先

- 消費者庁食品表示企画課
  〒100-8958 東京都千代田区霞が関3-1-1 中央合同庁舎第4号館
  TEL：03-3507-8800（代表）
- 地域の保健所の食品衛生担当課
- 各都道府県、保健所設置市、
  特別区（政令指定都市、中核市、保健所政令市の食品衛生担当課）